시역전을 활용한

에너지의 공간 집속 기술

시역전을 활용한 에너지의 공간 집속 기술

발 행 | 2024년 04월 17일

저 자 | 최복경

펴낸이 | 한건희

펴낸곳 | 주식회사 부크크

출판사등록 | 2014.07.15(제2014-16호)

주 소 | 서울특별시 금천구 가산디지털1로 119 SK트윈타워 A동 305호

전 화 | 1670-8316

이메일 | info@bookk.co.kr

ISBN | 979-11-410-8146-1

www.bookk.co.kr

시역전을

활용한
에너지의
공간 집속 기술

최복경 지음

CONTENT

머리말

이 연구는 시역전 음향 기술을 활용한 음파 집속 연구에 초점을 맞추고 있습니다. 특히, 수중에서 집속된 음파의 시간 및 공간 신호를 재현하는 기술을 개발하여, 시역전 기술의 응용 범위를 넓히려는 것이 목적입니다. 연구 개발의 주된 내용으로는, 시역전 음향 집속 시스템을 구축하여 충격 응답 측정에 기반한 집속장을 예측하고 원하는 음파 형태를 재현하는 것, 그리고 다양한 공간적 집속 형태를 실험적으로 구현하는 것이 포함됩니다.

TRA(시역전 음향) 기술의 필요성은 다양한 분야에서 그 중요성이 강조되고 있습니다. 기술적 측면에서, TRA는 의료 초음파 영상, 해양 음향 탐지 등 다양한 분야에 응용 가능한 새로운 음향 집속 기술로 인식되고 있습니다. 선진국에서는 이미 TRA 기술에 대한 연구가 활발하게 진행되고 있지만, 국내에서는 아직 초기 단계에 있습니다. 이 연구는 국내외 연구 동향을 파악하여 새로운 신기술 개발을 위한 기반을 마련하고자 합니다.

경제적 및 산업적 측면에서, 시역전 음향 기술은 인체 진단, 지뢰 탐지, 수중 통신, 전파 통신, 구조물 진단 등 다양한 분야에 응용될 수 있는 잠재력을 가지고 있습니다. 이는 산업화를 위한 기술 연구의 기반이 될 수 있습니다.

사회문화적 측면에서는, 의료용 인체 진단에 시역전 음향 기술을 활용하면, 강한 음파 집속을 통해 인체에 미치는 영향을 줄이고, 초음파 위해성을 감소시켜 삶의 질을 향상시킬 수 있는 가능성이 있습니다.

이 연구는 시역전 음향 기술의 응용 가능성을 탐구하고, 이를 통해 사회적, 산업적으로 유익한 결과를 도출하고자 합니다.

제 1 장 시역전 집속 기술 현황

1-1. 국내 기술개발 현황

시역전 기술에 대한 연구는 주로 음향이론 분야에서 진행되어 왔으며, 한국해양연구원(KORDI)에서는 시역전 음향 기술의 원리를 규명하는 데 초점을 맞추었으며, 한국과학기술원(KAIST)에서도 비슷한 주제에 대한 연구를 진행하였습니다.

공학 음향 분야에서는 시역전 기술을 이용한 구조물 감시 및 손상 진단에 관한 연구가 서울대학교와 인하대학교에서 수행되었습니다. 이는 구조물의 건전성을 모니터링하고 이상을 진단하는 데 시역전 기술을 활용한 것입니다.

전파공학 분야에서는 다중 경로 환경에서의 전자기파 공간 집속에 대한 시뮬레이션 연구가 진행되었으며, 이는 서울대학교와 인하대학교의 공동 연구로 이루어졌습니다.

수중 통신 분야에서는 한국해양대학교에서 시계열

반전거울 기법을 이용한 알고리즘에 관한 연구가 발표되었습니다. 해당 연구는 수중 음향학에서의 새로운 접근 방식을 제시하며, 광학에서 영감을 받아 수중 환경에서의 통신 개선을 목표로 하였습니다.

해양음향 분야에서는 한양대학교, 부산대학교, 그리고 국방과학연구소 등에서 시역전거울(TRM) 개념을 도입한 연구가 부분적으로 수행되었습니다.

의료 음향 분야에서는 아직 구체적인 연구가 시작되지 않았지만, 의료업계 및 관련 연구진 사이에서 큰 관심을 받고 있으며, 향후 외국 기술과의 연계를 통한 연구가 예상됩니다.

국내에서 시역전 기술에 대한 연구는 다양한 분야에서 활발하게 이루어지고 있으며, 이는 음향 에너지를 원하는 위치에 집속시키는 데 중점을 둔 기술입니다. 기존의 집속 방식과 달리, 시역전 음향 기술은 특정 위치에서만 신호가 재구성되어 집속되는 특징을 가집니다. 이 기술은 음향뿐만 아니라 전자기파에도 적용될 수 있으며, 음장 형상의 제어와 관련하여 새로운 방법론을 제시하고 있습니다.

이러한 연구는 국내에서 시역전 기술의 발전 가능성을 보여주며, 이 기술이 의료, 해양, 통신 등 여러 분야에서 어떻게 응용될 수 있는지를 탐구하는 기초를 마련하고 있습니다.

1-2. 국외 기술개발 현황

시역전음향(Time Reversal Acoustics, TRA) 기술은 전 세계적으로 다양한 분야에서 그 원리와 응용을 탐구하고 있습니다. 이 기술은 특히 세 주요 그룹, 프랑스의 Fink 그룹, 러시아의 Sutin 그룹, 그리고 미국의 Kuperman 그룹을 중심으로 발전해왔습니다.

• 프랑스의 Fink 그룹: 시역전 원리의 창안자인 Mathias Fink 교수가 이끄는 이 그룹은 다양한 분야에서 기술의 실용화를 선도하고 있습니다. Fink 교수는 'Physics Today' 학술지를 통해 TRA의 주요 응용 분야를 세 가지로 요약했습니다. 그 중 하나는 음파의 시역전을 통해 어떤 매질에 대한 정보 없이도 음파가 정확하게 원래 위치로 집중되는 현상을 이용하는 것입니다. 예를 들어, 이 기술은 콩팥 결석을 분

쇄하는 데 외과 수술 없이 사용될 수 있습니다.

• 러시아의 Sutin 그룹: Artann Lab.을 설립한 이 그룹은 의료 음향 분야에서 시역전 음향 기술을 적용하는 등 다양한 분야에서 혁신적인 연구를 이끌고 있습니다. 지뢰 탐지 및 수중 침투물체 탐지에 응용하는 연구도 포함됩니다.

• 미국의 Kuperman 그룹: 스크립스 해양연구소 (Scripps Institute of Oceanography)에서 활동하는 이 그룹은 수중음향 분야에서 TRA 기술의 실험적 검증 및 기본 연구를 진행하고 있습니다. 통신과 표적 탐지 분야에서 주로 응용되고 있으며, 적응 시계열반전거울(Adaptive Time-Reversal Mirror, ATRM)의 개념을 도입하여 잡음제거 알고리즘에 성공적으로 응용하고 있습니다.

이러한 국제적인 연구 활동은 시역전 음향 기술이 의료, 해양, 통신 등 다양한 분야에서 어떻게 응용될 수 있는지를 탐구하며, 이 기술의 발전 가능성을 넓히고 있습니다. Fink 그룹의 기본 원리 창안부터 Sutin 그룹과 Kuperman 그룹의 혁신적인 연구까지,

이 기술은 전 세계적으로 그 응용 범위를 확장하고 있습니다.

1-3. 시역전 음향기술의 핵심 원리 소개

시역전 음향기술(Time Reversal Acoustics, TRA)은 음향 에너지나 전파 에너지를 특정 위치에 정밀하게 집속시키는 혁신적인 기술입니다. 이 기술은 기존의 집속 방식과 달리, 원하지 않는 위치에서는 신호가 형성되지 않고 오직 원하는 지점에만 신호가 재구성되어 집속됩니다.

TRA 기술의 과정은 다음과 같습니다:

1. 초기 방사 신호: 원하는 주파수의 신호를 방사합니다.

2. 장기 반향 신호 기록: 원하는 위치에서 수신된 신호를 기록합니다.

3. 시간 반전 정규화 신호: 수신된 신호를 시간 반전한 후 재방사를 위해 준비합니다.

4. 단일 변환기에 의한 TRA 집속 신호: 시간 반전 신호를 단일 변환기를 통해 방사합니다.

5. 다중 변환기에 의한 TRA 집속 신호: 동일한 신호를 여러 변환기를 통해 방사하여 집중력을 높입니다.

또한, 이 기술은 다초점 집속방식을 가능하게 하는 알고리즘을 통해 여러 위치에 동시에 에너지를 집중시킬 수 있습니다. 이는 단일 점속뿐만 아니라 확장된 포커싱 영역에서도 집속을 실현할 수 있음을 의미합니다.

TRA 기술의 응용 가능성은 광범위합니다. 의료 분야에서는 뇌 내 종양 제거나 유방암 진단에 활용될 수 있으며, 해양 분야에서는 해양물성 변화 모니터링이나 수중 물체 탐지에 사용될 수 있습니다. 또한, 전기전자 분야에서는 집속 전파통신에, 군사 분야에서는 지뢰 및 기뢰 탐지와 잠수함 탐지 등에 활용될 수 있습니다.

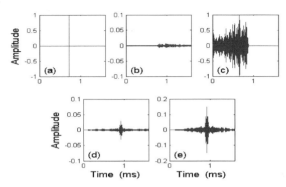

Fig. 1. 주파수 500 kHz의 캐리어를 가진 사인파의 단일 주기에 대한 TRA 집속 과정에서의 신호 스냅샷: a) 단계 1 - 초기 방사된 신호 e(t), b) 단계 2 - 긴 울림 신호 녹음, c) 단계 3 - 재방사를 위해 준비된 시간 역전 정규화 신호, d) 단일 변환기에 의해 방사된 TRA 집중 신호, e) 모든 다섯 개의 변환기에 의해 방사된 TRA 집중 신호.

이러한 시역전 신호 집속 처리 기술은 음향 신호뿐만 아니라 전파 신호, 레이저 신호 등 다양한 신호에 적용할 수 있는 범용성을 가지고 있습니다. 전 세계적으로 이미 많은 연구가 이루어지고 있는 만큼, 국내에서도 보다 적극적인 연구와 개발이 요구되는 미래 지향적 기술입니다.

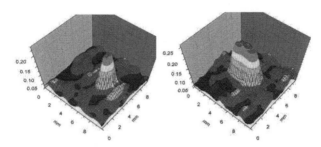

Fig. 2. TRA 집중 신호의 공간 분포: 단일 지점 집중의 경우 (a) 및 3 개 지점 집중을 위한 확장된 초점 영역 (b).

제 2 장 공간 시역전 집속 기법 변환

2-2. 시역전 음향 집속의 모의실험 결과

2-2-1. 모의실험 결과 요약

시역전 음향집속 기술(TRAcoustics)에 대한 기본적인 모의실험을 통해, 밀폐된 직사각형 공간 내에서 다수의 음원을 사용하여 특정 위치에 음파를 정밀하게 집속시킬 수 있는 과정을 해석하였습니다. 이 기술은 전 세계적으로 다양한 분야에서 연구되어 왔으며, 이번 모의실험은 충격응답 신호의 추출부터 음향집속 신호의 구성까지, 해당 현상에 대한 깊이 있는 해석을 시도한 것입니다.

2-2-2. 모의실험 연구동기 및 배경

이 연구는 밀폐된 공간에서의 충격응답을 모델링하고, 이를 바탕으로 시역전 음향 집속의 성능을 모의하는 것을 목적으로 합니다. 이를 통해 시역전 음향 집속 기술의 효율성과 응용 가능성을 탐구하며, 다른 분야로의 적용 가능성을 탐색하기 위해 진행되었습니다.

2-2-3. 시역전 음향 집속의 기초이론

• 기초 원리: 하나의 음원에서 방사된 펄스 신호와 매질 내의 충격응답의 컨벌류션을 통해, 어떤 수신 위치에서의 신호가 생성됩니다. 이 신호를 시간 반전시켜 해당 위치에서 다시 방사하면, 원래의 음원 위치에서 음향에너지가 집중되는 현상이 나타납니다. 이는 가역원리에 기반하여, 수신신호의 시간 반전 신호를 원래 음원 위치에서 방사하면 원하는 수신 위치에서 음향에너지가 집중된다는 것을 의미합니다.

• 모의실험 과정: 시역전 음향 집속 과정은 방사된

신호, 충격응답, 수신 신호, 시간 반전 신호, 그리고 최종적인 TRA 집속 신호로 구성됩니다. 이 과정을 통해 원하는 위치에서 음향에너지의 집중을 실현할 수 있습니다.

• 계산 방법: 컨벌류션 과정은 계산 시간이 많이 소요되므로 주로 주파수 영역에서 계산됩니다. 시간 영역에서의 컨벌류션이 주파수 영역에서는 곱셈으로 단순화되어 계산되며, 이후 역푸리에 변환을 통해 쉽게 결과를 얻을 수 있습니다. 이러한 방식으로 음향 집속 신호의 컨벌류션 결과를 효과적으로 얻을 수 있습니다.

이 모의실험은 시역전 음향 집속 기술의 기본 원리와 효과를 입증하며, 이 기술이 의료, 해양, 전자, 군사 등 다양한 분야에서 어떻게 활용될 수 있는지에 대한 가능성을 제시합니다. 또한, 이 연구는 국내외에서 시역전 음향 집속 기술의 발전과 적용을 위한 기초 자료로 활용될 수 있을 것입니다.

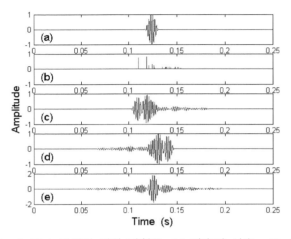

Fig. 3. TRA 과정에 의한 파형들. (a) 방출된 신호, e(t), (b) 임펄스 응답, h(t), (c) 수신된 신호, s(t), (d) 시간 역전 신호 r(t), (e) TRA 집중 신호, c(t).

2-2-4. 직사각형 방내에서의 충격응답 모의

시역전 음향 집속 기술을 실현하기 위해, 특정 시스템(밀폐된 방)의 충격응답을 정확히 알아내는 것이 필수적입니다. 실험적으로는 짧은 충격파(델타 함수)를 방사하여 얻은 신호를 충격응답으로 활용할 수 있지만, 이론적 모의를 위해서는 방의 반사 특성을 모두 고려해야 합니다. 이를 위해 직사각형 방을 가정하고 대칭영상법을 이용하여 반사 신호를 계산하는 방법을 소개합니다.

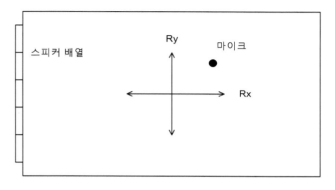

Fig. 4. TRA 시뮬레이션을 위한 직사각형 방의 개략도.

대칭영상법의 적용

1. 대칭영상법 사용: 직사각형 방내에서의 1차 반사 신호를 계산하기 위해 대칭영상법을 사용합니다. 이 방법은 방의 대칭성을 이용하여 수신점까지의 거리를 정확히 산출할 수 있게 하며, 벽의 반사계수를 통해 수신점에 도달하는 신호의 시간차와 크기를 예측할 수 있습니다.

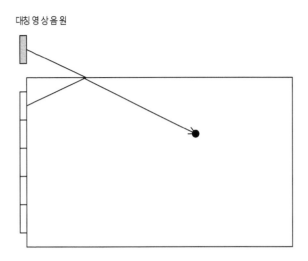

대칭영상음원

Fig. 5. 이미지 소스 방법을 사용한 1차 반사 신호의 도면.

2. 대칭 영상 음원의 정의: 직사각형 방에서의 대칭 영상음원은 정수 좌표(nx, ny, nz)로 정의됩니다. 여기서 n=0은 반사 없이 직접 수신된 경우, n>0은 한 번 이상 반사된 경우를 의미합니다. 이를 통해 다중 반사 신호까지 고려한 충격응답을 모의할 수 있습니다.

3. 방의 크기와 음원 위치 설정: 방의 크기가 Lx×Ly×Lz로 주어지고, 음원의 위치가 (Sx, Sy, Sz)로 주어질 때, 대칭영상음원의 위치는 다음과 같이 계산됩니다.

$$(I_x, \ I_y, \ I_z) = (\, lL_x + (-1)^{\,l} S_x,$$
$$mL_y + (-1)^{\,m} S_y,$$
$$nL_z + (-1)^{\,n} S_z)$$

4. 충격응답의 예측: 대칭영상음원으로부터 수신기까지의 거리를 계산하고, 예측된 충격응답은 신호의 전파 시간, 음속, 벽면의 반사계수를 고려하여 결정됩니다.

$$d_{lmn} = \sqrt{(R_x - I_x)^2 + (R_y - I_y)^2 + (R_z - I_z)^2}$$

$$h(t) = \sum_{l,\,m,\,n = -\infty}^{\infty} \frac{r^{\,|l| + |m| + |n|}}{d_{lmn}} \, \delta(t - \tau_{lmn})$$

모의실험 설정 및 결과

• 모의실험 설정: 방의 크기를 5m×3m×3m로 설정하고, 벽면의 반사계수를 0.8로 가정합니다. 음원의 위치는 왼쪽 벽면에 밀착된 위치로 설정하고, 수신 위치는 (3m,2m)로 합니다.

• 모의 결과: 모의된 충격응답 신호는 원 신호와 1

차, 3차, 10차 반사까지 고려된 파형을 포함합니다. 이 결과는 시역전 음향 집속 기술의 기본적인 이해와 적용 가능성을 탐색하는 데 중요한 기초 자료를 제공합니다.

이 모의실험은 시역전 음향 집속 현상을 이해하고 실제 환경에서의 응용을 위한 첫걸음입니다. 대칭영상법을 이용한 접근 방법은 복잡한 반사 환경에서의 충격응답을 예측하는 데 유용하며, 이는 다양한 분야에서 시역전 기술을 활용할 수 있는 가능성을 열어줍니다.

2-2-5. 시역전 음향 집속의 모의 결과

직사각형 방내에서 충격응답 신호를 성공적으로 구현한 후, 시역전 음향집속 현상을 모의하는 데 필요한 단계를 진행했습니다. 음원 개수의 증가에 따라 집속파형의 진폭이 상승하는 효과와 그에 따른 공간 집속형태의 개선을 확인할 수 있었습니다.

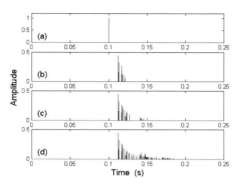

Fig. 6. 직사각형 방에서 충격 신호를 사용하여 시뮬레이션한 임펄스 응답. (a) 방출된 충격 신호, (b) 1 차 반사를 포함한 수신 신호, (c) 3 차 반사를 포함한 수신 신호, (d) 10 차 반사를 포함한 수신 신호.

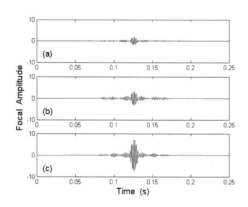

Fig. 7. 송신기 수에 따른 TRA 집중 신호의 변화. (a) 한 개

의 송신기, (b) 두 개의 송신기, (c) 다섯 개의 송신기.

음향 집속 효과의 시각화

• 음원 개수와 집속 파형의 관계: 음원 개수가 증가함에 따라 집속 파형의 진폭이 상승하며, 이는 음향 집속 성능의 향상을 의미합니다(Fig. 7).

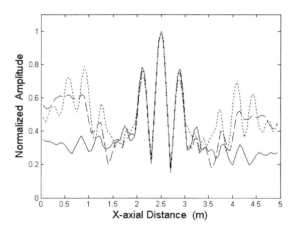

Fig. 8. x축에서의 압력 진폭의 공간 분포 (실선: 한 개의 송신기, 점선: 두 개의 송신기, 굵은 실선: 다섯 개의 송신기).

• x-방향 공간 집속 형태: 음원의 개수가 증가할수록 주변부의 진폭 감소와 함께 공간 집속 형태가 개선됩니다. 특히, 강한 정상파 형태로 인해 단일 집속점이 아닌 다중 집속점이 나타나며, 이는 회절 한계에 따라 1/2파장 크기의 집속폭을 가집니다(Fig. 8).

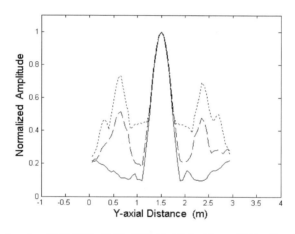

Fig. 9. y축에서의 압력 진폭의 공간 분포 (실선: 한 개의 송신기, 점선: 두 개의 송신기, 굵은 실선: 다섯 개의 송신기).

• y-방향 공간 집속 형태: y-방향에서는 집속 폭이 x-방향에 비해 넓게 나타나며, 이는 회절 한계에 의해 폭이 수렴되지 않았기 때문입니다(Fig. 9).

모의실험 결론

이 모의실험 결과는 시역전 음향 집속 기술의 기본 원리와 효율성을 입증합니다. 음원의 개수가 증가함에 따라 집속 성능이 향상되며, 이는 해양, 의료, 통신 기술 등 다양한 분야에서의 응용 가능성을 제시합니다. 특히, 집속 파형의 성능 개선과 다중 집속점의 형성은 시역전 음향 집속 기술의 실용적인 적용을 위한 중요한 기초 데이터를 제공합니다.

공간 집속에서 음원의 개수 증가에 따른 집속 형태의 개선은 시역전 음향 집속 기술의 효율적인 설계와 구현을 위한 중요한 지표로 활용될 수 있습니다. 이 연구는 시역전 음향 집속 기술의 발전뿐만 아니라, 관련 분야에서의 새로운 응용 가능성을 탐색하는 데 기여할 것으로 기대됩니다.

2-3. 시역전 음향기술 시스템 구축

본 연구를 통해 구축된 소형 시역전 음향 집속 (TRAcoustics) 실험 시스템은 국내에서 유일한 장비

로서, 수중 및 해양 환경에서 TRA 기술을 적용하는 데 핵심적인 역할을 할 것으로 기대됩니다. 이 시스템은 광범위한 연구와 응용을 위한 기반을 마련합니다.

시스템 특징

- 주파수 범위: 100 kHz부터 5 MHz에 이르는 광대역 주파수를 지원합니다. 이는 다양한 실험 조건과 응용 분야에 맞춰 세밀한 조절이 가능함을 의미합니다.

- 센서 구성: 기본적으로 6개의 센서 어레이를 사용하며, 필요에 따라 최대 12개까지 확장 가능합니다. 이는 실험의 다양성과 정밀성을 높여줍니다.

- 위치 제어 시스템: 컴퓨터 자동제어를 통해 삼차원 수신센서의 이동이 가능합니다. 이를 통해 공간적 위치에 따른 데이터 측정이 용이해집니다.

- 수신 센서: Needle hydrophone을 사용하여, 고정밀도의 수신 신호 측정이 가능합니다.

- 송신 센서: PZT 소자를 다양한 주파수 별로 보유하고 있어, 실험에 따른 유연한 적용이 가능합니다.

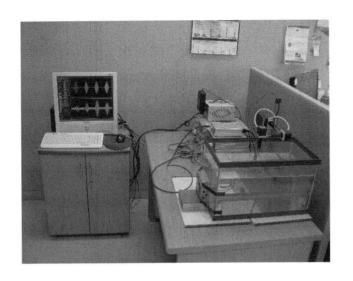

Fig. 10. KORDI 음향 연구소에서 제작한 TRA 실험 시스템
개요.

시스템 구성 개요

• Fig. 10: KORDI Acoustics Lab에서 제작된 TRA 실험
시스템의 개요를 보여줍니다. 이는 시스템의 전체적
인 구성과 작동 원리를 이해하는 데 도움을 줍니다.

Fig. 11. TRA 시스템의 3D 위치 결정 부분

• Fig. 11: TRA 시스템의 3D 위치 조정 부분을 나타 냅니다. 세밀한 위치 조정이 가능하여 실험의 정확 도를 높입니다.

Fig. 12. TRA 시스템의 변환기 부분(예: 1번 센서).

• Fig. 12: 송신 센서 부분을 보여주며, 다양한 실험 조건에 맞는 센서의 선택적 사용을 가능하게 합니다.

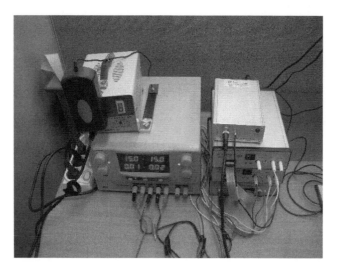

Fig. 13. TRA 시스템의 채널 데이터 제어 박스 및 전력 부품.

• Fig. 13: 채널 데이터 제어 박스와 파워 부분을 통해 실험 데이터의 관리와 시스템의 안정적인 운영이 이루어집니다.

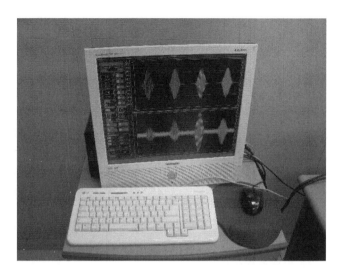

Fig. 14. TRA 시스템의 신호 처리 프로그램 화면 및 해당
컴퓨터.

• Fig. 14: TRA 시스템의 신호 처리 프로그램 화면과
해당 컴퓨터를 보여줍니다. 이는 데이터 처리 및 분
석의 효율성을 보장합니다.

이 소형 TRA 실험 시스템은 향후 수중 및 해양에서의 시역전 음향 집속 기술 적용에 중요한 기여를 할 것으로 기대됩니다. 시스템의 고급 기능과 유연성은 다양한 연구와 응용 프로젝트의 가능성을 열어주며, 이는 의료, 해양 탐사, 통신 기술 등 여러 분야에서의 혁신을 가능하게 할 것입니다.

2-4. 시역전 음향 기술 실험 결과

2-4-1. 시역전 음향 기술의 최근 연구 내용 및 실험 요약

본 사업에서 구축한 시역전 음향 집속(TRAcoustics) 시스템을 통해 수행한 실험은 다음과 같은 두 가지 주요 연구 내용을 포함합니다:

1. 충격응답 측정에 기초한 시역전 음향집속 시스템의 예측

2. 시역전 음향 집속 시스템을 이용한 원하는 음파 형태와 집속 구조의 형성

2-4-2. 충격응답 측정에 기초한 연구

• 연구 요약: 이 연구는 비균질 매질에서 음향 에너지를 시공간적으로 집중시킬 수 있는 기술을 탐구합니다. 고체 음향 반사체 내에서 짧은 펄스의 집중은 음파 에너지의 고도 집중을 가능하게 하며, "음향 레이저"와 같은 효과를 제공합니다. 이를 위해 알루미늄 공명기와 다양한 주파수 대역에서 작동 가능한 압전 센서를 사용하여 실험을 진행했습니다.

• 기술적 개요: 이 시스템은 TRA 원리에 기반하며, 고체 블록에 접착된 여러 개의 피에조 세라믹을 사용합니다. 이 고체 음향 반사체는 긴 음파를 짧은 펄스로 압축하여 집중시키는 데 사용됩니다. TRA 시스템의 개선은 다양한 반사면에서의 왜곡 문제를 해결하는 데 중점을 두고 있습니다.

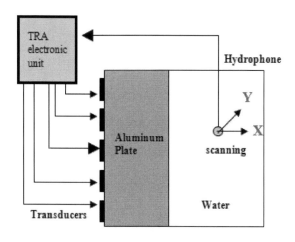

Fig. 15. 시간 역전 실험의 개략도.

시역전 음향 집속 실험 결과

• 실험 과정: 실험은 다중 채널 TRA 시스템을 사용하여 진행되었으며, 초음파 신호의 크기와 공간적 분포를 예측하기 위한 다양한 단계를 포함합니다. 이 과정은 초음파 신호 발생, 잔향음 신호 녹음, 시간 역전 신호 준비 및 방출로 구성됩니다.

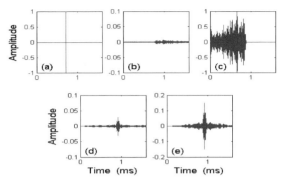

Fig. 16. 주파수 500 kHz의 캐리어를 가진 사인파의 단일 주기에 대한 TRA 집속 과정에서의 신호 스냅샷: a) 단계 1 - 초기 방사된 신호 e(t), b) 단계 2 - 긴 울림 신호 녹음, c) 단계 3 - 재방사를 위해 준비된 시간 역전 정규화 신호, d) 단일 변환기에 의해 방사된 TRA 집중 신호, e) 모든 다섯 개의 변환기에 의해 방사된 TRA 집중 신호.

• 결과 비교: TRA 실험의 모식도, 알루미늄으로 만들어진 공명기, 피에조 디스크 센서의 배열, 물 탱크 연결 등 실험 설정은 다양한 주파수에서의 초점 감소 및 초점의 크기 비교를 포함하여 상세하게 논의되었습니다. 실험 결과는 예측 방법을 통해 얻은 이론적 예측과 일치함을 보여주었습니다.

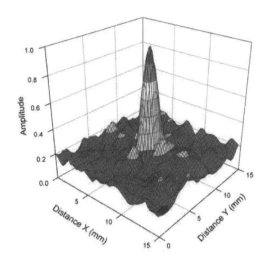

Fig. 17. 주파수 500 kHz의 톤 버스트에 대한 TRA 집중 신호 진폭의 공간 분포.

기술적 결론

• 이 연구는 시역전 집속 장치의 파형 예측 및 공간 분포가 송신기와 반사체 사이의 전달 함수 측정에 기반한다는 것을 확인합니다. 복잡한 TRA 시스템의 설계 없이도 단순한 실험 장비를 통해 다중 채널 TRA 시스템의 모든 음향 인자를 예측할 수 있습니

다. 이는 TRA 시스템의 이론적 및 실험적 연구에 중요한 기여를 하며, 향후 의료, 해양 탐사 및 통신 기술 등 다양한 분야에서의 응용 가능성을 열어줍니다.

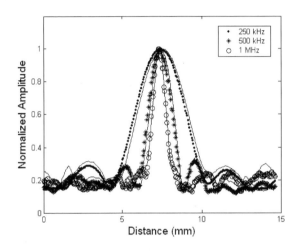

Fig. 18. 다양한 주파수에 따른 X축을 따른 시간 역전 공간 집중 패턴. ●: 250 kHz, * : 500 kHz, ○: 1 MHz (선: 시뮬레이션; 기호: 실험).

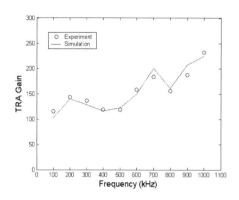

Fig. 19. 다양한 주파수에 대한 TRA 이득 (기호: 실험, 실선: 시뮬레이션).

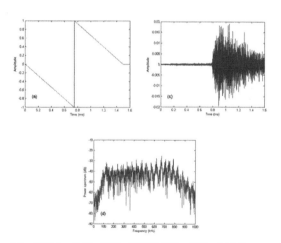

Fig. 20. 임펄스 응답 측정 과정에서의 신호 스냅샷: (a) 초기 톱니파 신호, (b) 직접 녹음된 신호, (c) 직접 신호의 스펙트럼.

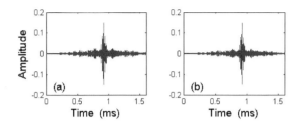

Fig. 21. 주파수 500 kHz의 단일 주기 신호에 대한 실험적으로 측정된 TRA 집중 파와 예측된 파의 비교: a) 실험, b) 예측.

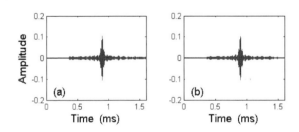

Fig. 22. 주파수 500 kHz 신호의 지속 시간이 45 ms인 가우스 형태의 펄스에 대한 실험적으로 측정된 TRA 집중 파와 예측된 파의 비교: a) 실험, b) 예측.

2-4-3. 원하는 음파형태와 집속구조의 형성 연구

연구 요약:

시역전 음향 집속(TRAcoustics) 기술은 비균질 매질 내에서 초음파 에너지를 특정 영역에 집중시키는 데 있어 기존의 방식을 넘어서는 집속 효과를 제공합니다. 이 기술은 다양한 경계면으로부터의 반사를 활용하여 집속 능력을 향상시키며, 이 과정에서 발생하는 반사는 기존의 초음파 집속 시스템에서의 주요한 기술적 장애를 극복합니다. 본 연구는 특히 (i) TRA 집속 초음파 파형과 공간 분포의 계산과 (ii) 원하는 파형으로 TRA 집속 신호의 형성에 초점을 맞춥니다. 이는 각 변환기의 임펄스 응답 측정에 기반하여 진행되었습니다.

기술적 개요:

TRA 원리를 활용한 초음파 집속 시스템은 고체 음향 잔향체에 부착된 여러 압전 변환기를 사용합니다. 이 잔향체는 음향 에너지를 축적하고 짧게 집속된 펄스를 방사하는 '음향 레이저'와 같은 역할을 합니다. 이 기술은 의학 및 산업 분야에서의 다양한 적용 가능성을 입증했으며, 특히 인체 내에서의 결석 제거나 3D 초음파 영상 생성에 효과적입니다. TRAFS를 활용한 이 연구는 임의로 결정된 시간 구조의 집속 영역을 나타내는 집속 음장을 얻는 새로운 방법을 제안합니다.

계산된 시역전 집속 음장과 실험값 비교:

실험은 주로 알루미늄 블록으로 제작된 TRA 잔향체를 활용하여 수행되었습니다. 이 잔향체에 부착된 압전 세라믹 디스크 트랜스듀서는 원하는 초음파 파형을 생성하고, 수조 내에서 초음파 신호는 수중 청음기를 통해 기록되었습니다. 다중 채널 TRA 시스템을 활용하여 실험적으로 측정된 파형과 계산된 파형은 큰 차이 없이 일치하였으며, 이는 TRA 기술이 원하는 파형의 정확한 형성을 가능하게 함을 입증합니다.

임의 파형 형성을 위한 시역전기술의 적용:

TRA 시스템을 사용하여 집속 영역에서 다양한 형태의 파형 생성이 가능함을 실험적으로 증명했습니다. 삼각파, 사각파 형태의 신호 및 진폭이 변조된 파열음 신호를 포함한 서로 다른 파형이 성공적으로 생성되었습니다. 이 연구는 또한 여러 지점에서 동시에 초음파의 집속을 유도할 수 있으며, 이는 임의의 방향에서 확장된 타원 모양의 집속 영역 형성을 가능하게 합니다.

기술적 결론

본 연구는 TRA FS를 활용하여 원하는 파형을 생성하는 데 성공하였으며, 임펄스 응답 데이터에 기반한 제안된 방법은 초점의 위치 조정이나 크기 확장에 유용하게 사용될 수 있습니다. 이 연구에서 개발된 방법은 초음파 치료, 비파괴 시험 분야 등 다양한 응용 분야에서 초음파 집속의 효과를 극대화하기 위한 새로운 접근법을 제시합니다.

제 3 장 활용 방안

시역전 음향기술은 다양한 분야에서의 응용 가능성을 지니고 있으며, 이 기술을 활용하여 인체 진단, 군사, 해양통신 등 여러 영역에서 혁신적인 발전을 기대할 수 있습니다. 국내에서 최초로 구축된 TRA 실험 시스템은 향후 다양한 연구 결과를 생산하며, 국제적 협력을 통해 더욱 발전될 가능성이 큽니다.

활용분야 개요

• 공학분야: 구조물 진단에 TRA 기술을 적용함으로써, 구조물의 미세한 결함까지 탐지할 수 있는 가능성을 열어줍니다.

• 의료분야: 인체 진단에서 초음파 집속 기술을 활용하여 보다 정밀한 진단 및 치료가 가능해집니다.

• 군사분야: 지뢰 및 기뢰 탐지와 같은 군사적 응용뿐만 아니라 전파통신 신호재현 기술에도 활용될 수 있습니다.

- 해양분야: 수중통신에서 TRA 기술을 이용해 수중에서도 명확한 통신 신호 전송이 가능해집니다.

- 기타분야: 비선형 신호재현 기술에 응용하여 다양한 산업 분야에서 새로운 가능성을 모색할 수 있습니다.

연구 성과 및 기대효과

- 본 연구를 통해 구축된 TRA 실험실 시스템은 국내 연구뿐만 아니라 국제적인 연구 협력의 기반을 마련합니다.

- 시역전 음향 집속 기술에 대한 이론적 및 실제 모형 실험을 통해 기술의 실용성과 효율성을 입증하였습니다.

- 초음파의 TRA 집속에 대한 새로운 접근법을 제시하며, 이는 시역전 기술 연구에서 세계적인 선도 역할을 할 수 있는 가능성을 열어줍니다.

맺음말

• 본 연구를 통해 시역전 음향 집속 기술의 국내 개발을 통해 글로벌 연구 분야에서의 선도적 역할을 기대할 수 있습니다.

• 이 기술의 응용 연구는 공학, 의료, 군사, 해양 등 다양한 분야에서 혁신을 가져올 것이며, 국내외적으로 연구와 응용 분야에서의 활성화가 기대됩니다.

• 시역전 음향 집속 기술은 광범위한 연구와 실용화 가능성을 가지고 있으며, 이를 통해 얻어진 지식과 기술은 다양한 분야에 긍정적인 영향을 미칠 것입니다.

참고문헌

○ 고한석, 이창호, 이우식, 구조물 손상진단을 위한 Lamb 파의 시간-역전현상에 대한 실험, 한국철도학회 2007 년도 추계학술대회논문집, pp.908-911, 2007.

○ 나정열, 해양 탐사를 위한 수중 음파의 이용, 물리학과 첨단기술 November, 2004.

○ 글로벌동향브리핑(GTB) 기사, "음파의 역추적을 통한 터치 스크린", 과학기술정보포컬서비스(KISTI), 2005.

○ 김재수, 적응 시계열반전거울(Adaptive Time-Reversal Mirror)을 이용한 자기 등화(self-equalization) 수중통신 알고리즘, 한국과학재단 지역대학우수과학자 육성지원연구 보고서, 2004.

○ 박진영, 김양한, 공간 상에 원하는 음장형상을 만드는 방법, 한국소음진동공학회 2007 년 추계학술대회논문집, 2007.

○ 박현우, 김승범, 손훈, 구조물 건전성 감시를 위한 시간반전 능동감지기법, 한국구조물진단학회 2005 년도 가을학술발표회 논문집, pp.427-432, 2005.

○ 송희천, Time Reversal Mirror and Its Potential Application to Seafloor Characterization, New Horizons for Marine Minerals: Progress through International Cooperation UMI2003, Korea.

○ 신동훈, 고일석, 남상욱, Spatially Focusing Electromagnetic Field in a Multi-Path Environment Using Time-reversal, IEEE 2005.

○ 해외과학기술동향 626 호 기사, "시간반전 음향학을 이용한 폭발 위치 추적", 화학공학연구정보센터, 2004.

○ A. J. Devaney, E. A. Marengo, and F. K. Gruber, Time-reversal-based imaging and inverse scattering of multiply scattering point targets, J. Acoust. Soc. Am. 118(5) (2005) 3129-3138.

○ A. Sarvazyan, A.Sutin. Generation of ultrasound radiation force with the use of time reversal acoustics principles (invited). J. Acoust. Soc. Am , 2005, 118, 3(2), 2005

○ A. Sutin, P. Johnson, J. TenCate, and A. Sarvazyan, Time reversal acousto-seismic method for land mine detection,

Proc. SPIE: Detection and Remediation Technologies for Mines and Minelike Targets X 5794 (2005) 706-716.

○ A. Sutinand A. Sarvazyan, Spatial and temporal concentrating of ultrasound energy in complex systems by single transmitter using time reversal principles, Proceeding of the World Congress on Ultrasonics, Paris, September (2003) 863-866.

○ A.D.Hillery, R.T. Chin,. "Iterative Wiener filters for image restoration", IEEE Transactions on Signal Processing, vol. 39, pp.18921899, 1991

○ A.Farina and L.Tronchin, "On the"Virtual" reconstruction of sound quality of trumpets," ACUSTICA- Acta Acustica, vol. 86, pp.737-745, 2000.

○ A.M. Sutin, P.A. Johnson, "Nonlinear elastic wave NDE II: Nonlinear wave modulation spectroscopy and nonlinear time reversed acoustics," Review of Quantitative Nondestructive Evaluation, vol. 24, ed. by D. O. Thompson and D. E. Chimenti, AIP, New York, 2005, pp. 385-392.

○ A.Sutin, A.Sarvazyan, "Spatial and temporal concentrating of ultrasound energy in complex systems by single transmitter using time reversal principles," Proceeding of the World Congress on Ultrasonics, September 7-10, Paris ,2003, pp.863-866.

○ B. Libbey and D. Fenneman, Acoustic to seismic ground excitation using time reversal, Proc. SPIE: Detection and Remediation Technologies for Mines and Minelike Targets X, R. S. Harmon, Ed., 5794 (2005) 643-654.

○ Bowon Lee, Mark A. Hasegawa-Johnson, and Camille Goudeseune, J. Acoust. Soc. Am. 113, 2202 (2003).

○ C. Prada, E. Kerbrat, D. Cassereau, and M. Fink, Time reversal techniques in ultrasonic nondestructive testing of scattering media, Inverse Problems 18 (2002) 1761-1773.

○ C. Montaldo , P.Roux , A.Derode , C.Negreira , M.Fink, "Generation of very high pressure pulses with 1-bit time reversal in a solid waveguide," J Acoust Soc Am, vol.110 (6), pp.2849 2857, 2001.

○ D.Palacio, J. Bercoff, G. Montaldo, M. Tanter, M. Fink, A. Sarvazyan, and A. Sutin, "3D shear wave generation in soft tissues using the time reversal kaleidoscopes," J. Acoust. Soc. Am., vol.115, p.2596, 2004.

○ G. Montaldo, D. Palacio, M. Tanter, M. Fink, Building three-dimensional images using a time-reversal chaotic cavity, IEEE Transactions on Ultrasonics, Ferroelectrics, and Frequency Control, 52(9) (2005) 1489-1497.

○ G. Montaldo, D. Palacio, M. Tanter, M. Fink, Time reversal kaleidoscope: A smart transducer for three-dimensional ultrasonic imaging, Applied Physics Letters, 84 (19)

○ G. Montaldo, M. Tanter, and M. Fink, Real time inverse filter focusing through iterative time reversal, J. Acoust. Soc. Am. 115(2) (2004) 768-775.

○ H. C. Song, W. A. Kuperman, T. Akal and C. Ferla, J. Acoust. Soc. Am. 105(6), 3176 (1999).

○ H. W. Park, S. B. Kim, and H. Sohn, Time Reversal Sensing for Structural Health Monitoring, Korea institute for Structural Maintenance Inspection(KSMI), (2005) 427-432.

○ J. Ching, A. C. To, and S. D. Glaser, Microseismic source deconvolution: Wiener filter versus minimax, Fourier versus wavelets, and linear versus nonlinear, J. Acoust. Soc. Am. 115(6) (2004) 3048-3058.

○ M. Fink, D. Cassereau, A. Derode, C. Prada, P. Roux, M. Tanter, J. Thomas, F. Wu, Time-reversed acoustics, Reports on Progress in Physics, 63 (2000) 1933-1995.

○ M. Fink, G. Montaldo, M. Tanter, Time-reversal acoustics in biomedical engineering, Annu. Rev. Biomed. Eng. 5 (2003), 465-497.

○ M. Fink, Time reversed acoustics, Scientific American, November (1999) 91-97.

○ Max. S. Zolotorev and Kirk T. McDonald, Time-Reversed Diffraction, Lecture note, Princeton University, http://puhep1.princeton.edu/~mcdonald/ (Sep. 5, 1999),

○ N. Chakroun, M. Fink, and F. Wu, Time reversal processing in non destructive testing, IEEE Trans. Ultrason. Ferroelec. Freq. Contr. 42(1995) 1087-1098.

○ O.D. Kripfgans, K.J. Haworth, D.D. Steele,., S.D. Swanson, "Magnetic resonance elastography using time reversed acoustics," Progress in Biomedical Optics and Imaging - Proceedings of SPIE, vol.5746 (I), pp. 323-332, 2005.

○ P. D. Norville and W. R. Scott Jr., Time-reversal focusing of elastic surface waves, J Acoust. Soc. Am. 118(2) (2005) 735-744.

○ Philippe Rouxa) and W. A. Kuperman, J. Acoust. Soc. Am. 117(1), 131 (2004).

○ Seongil Kim, W. A. Kuperman, W. S. Hodgkiss, H. C. Song, G. F. Edelmann, and T. Akalb), J. Acoust. Soc. Am. 114(1), 145 (2003).

○ T.J. Ulrich, P.A. Johnson, A. Sutin, "Imaging nonlinear scatterers applying the time reversal mirror," J. Acoust. Soc. Am., vol.119(3), pp.1514-1518, 2006.

○ V. Bertaix, J. Garson, N. Quieffin, S. Catheline, J. Derosny, and M. Fink, Time-reversal breaking of acoustic waves in a cavity, Am. J. Phys. 72(10) (2004) 1308-1311.